DETACHER ICI

DÉTACHER ICI

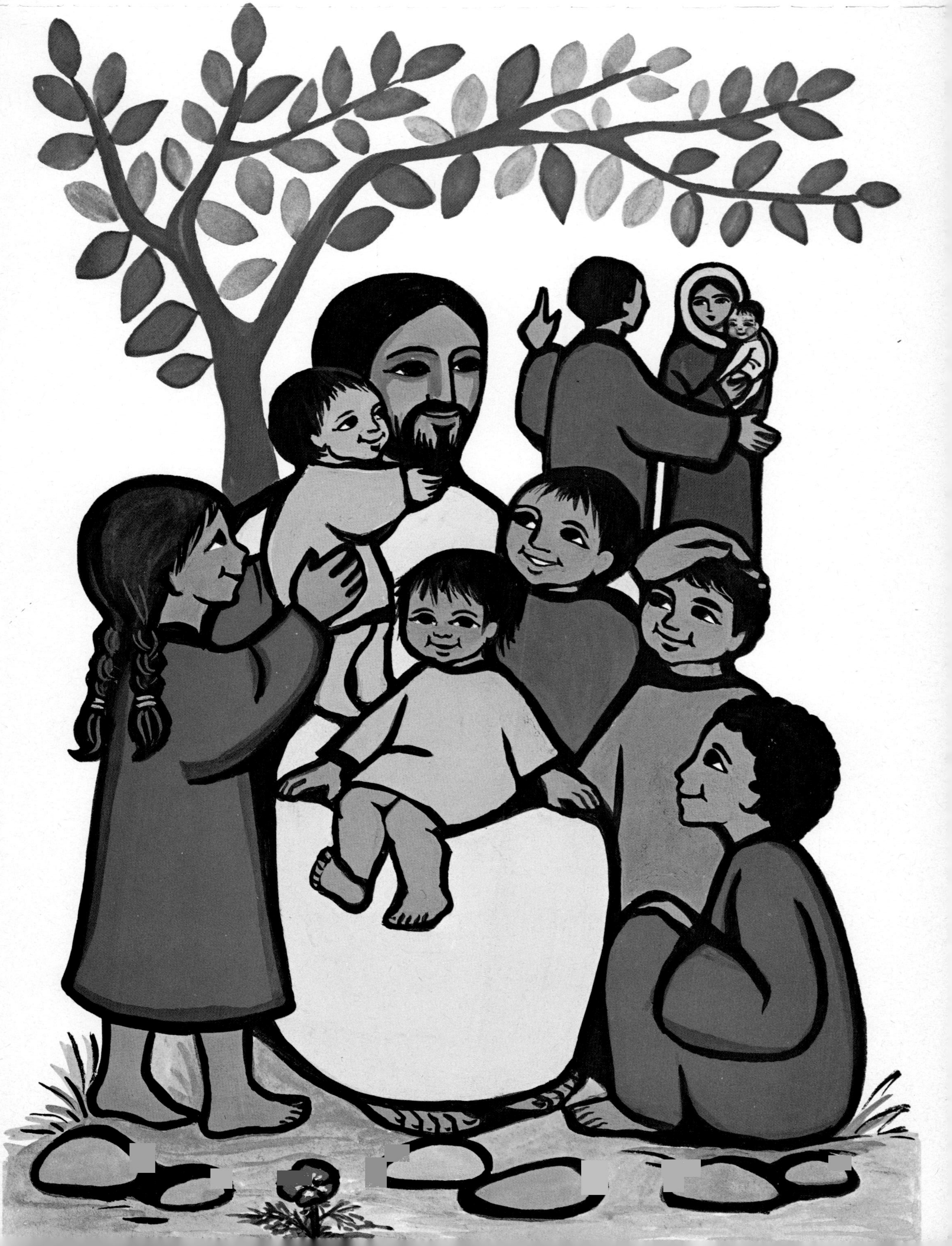

# Je rencontre JÉSUS

Il me dit "Je t'aime"

Histoire de l'Amour de Dieu
à travers la bible.

Ce livre est pour toi
mon frère, ma soeur.
          il parle de Jésus et de son message
          il est surtout pour t'aider à rencontrer Jésus.

Si tu le veux
passe du temps à regarder telle image
celle qui te parle au coeur et qui te donne la paix
ou demeure avec une parole qui nourrit le coeur.

          Si tu as des difficultés
          partage avec un ami de Jésus
          il pourrait t'aider beaucoup
          et surtout prie Jésus
          il t'éclairera.

          Peu à peu - cela prend du temps -
          Jésus te révèlera qu'il veille sur toi
          et qu'il t'aime

2

il t'appelle à le suivre
pour que tu puisses faire de belles choses
de ta vie et porter beaucoup de fruits

le monde a besoin de toi
l'Eglise a besoin de toi
JéSUS a besoin de toi
ils ont besoin de ton amour et de ta lumière.

sache, mon frère, ma sœur,
qu'il y a une place cachée dans ton cœur
où JéSUS vit
c'est un grand secret
que tu es appelé à vivre

laisse JéSUS vivre en toi,
avance avec lui !

3

Je me sens seul, incompris, rejeté, triste
enfermé en moi-même
le cœur en colère
dégoûté de la vie et de moi-même.

Un jour je rencontre JÉSUS
il me regarde,
il me sourit,
il me touche.
Je vois qu'il m'aime
tel que je suis avec mes difficultés

mon cœur bondit
une source de vie est libérée en moi
JÉSUS retire de mon cœur
la tristesse, la colère, l'énervement
Une petite lumière

commence à brûler en moi

mon cœur est en fête.

6

Oui, JÉSUS
Je le sens, Je le vois,
tu es mon Ami
tu m'aimes et me comprends
tu as confiance en moi
et moi Je t'aime
avec toi Je commence à vivre
mon cœur renaît

Je ne serai plus Jamais seul.

JÉSUS me guide
il est mon bon Berger
il m'appelle par mon nom
        et me dit :

    "N'aie  pas peur,
    à travers les difficultés
    Je te conduirai




            aie   confiance
        Je suis toujours avec toi
    mais j'ai besoin que tu fasses  des efforts
    avance avec moi "

10

"Je te guide vers un beau pays
          vers un lieu de repos et de paix
Je prépare pour toi un festin
Je te nourris de mon corps et de mon Sang
Je te nourris de mon cœur
Je te donne une force nouvelle
Je te donne mon Esprit "

" J'aime tellement chacune de mes brebis
que je donne ma vie pour elle
Je veux que chacune soit heureuse et libre "

# Jésus m'introduit dans la famille de Dieu.

Jésus me fait connaître son Père
qui est aussi mon Père, mon Papa

## notre Père

Jésus est alors mon grand frère
Je suis uni à Lui et à son Père
par l'Esprit Saint qu'Il me donne
par le baptême.

16

Jésus me fait connaître aussi
Marie, sa Mère,
elle est aussi ma Mère, ma Maman.
Je l'aime et j'ai confiance en elle
elle est tellement comme Jésus.

18

Jésus me fait entrer dans la famille du Père
Il me donne de nouveaux frères et sœurs
dans une communauté

Je suis heureux maintenant d'être dans
la grande famille de Dieu
répandue à travers le monde

c'est l'Eglise!

20

Dans la famille de Dieu
Jésus donne des prêtres
        ils parlent de Jésus
        ils célèbrent la Messe, l'Eucharistie
        ils nous donnent le Corps de Jésus à manger
            et son Sang à boire


Au nom de Jésus ils pardonnent nos péchés
ils nous aident à vivre la Bonne Nouvelle de Jésus

22

# Jésus m'apprend à prier

Je le regarde
il me regarde

Nous sommes si bien ensemble!
il me dit : "Je t'aime,
comme le Père m'aime
demeure en mon amour"

Avec Jésus je me sens tout heureux et détendu.

24

Jésus me dit :

"Quand tu pries mon Père, dis :

Mon Père, Notre Père, Papa !
tu es si beau, tu es si bon, tu es si grand !
que tout le monde puisse te connaître
et faire ce qui te plaît !

que ton règne vienne !
que ta volonté soit faite ! "

cf. Matthieu 6, 9-13.

26

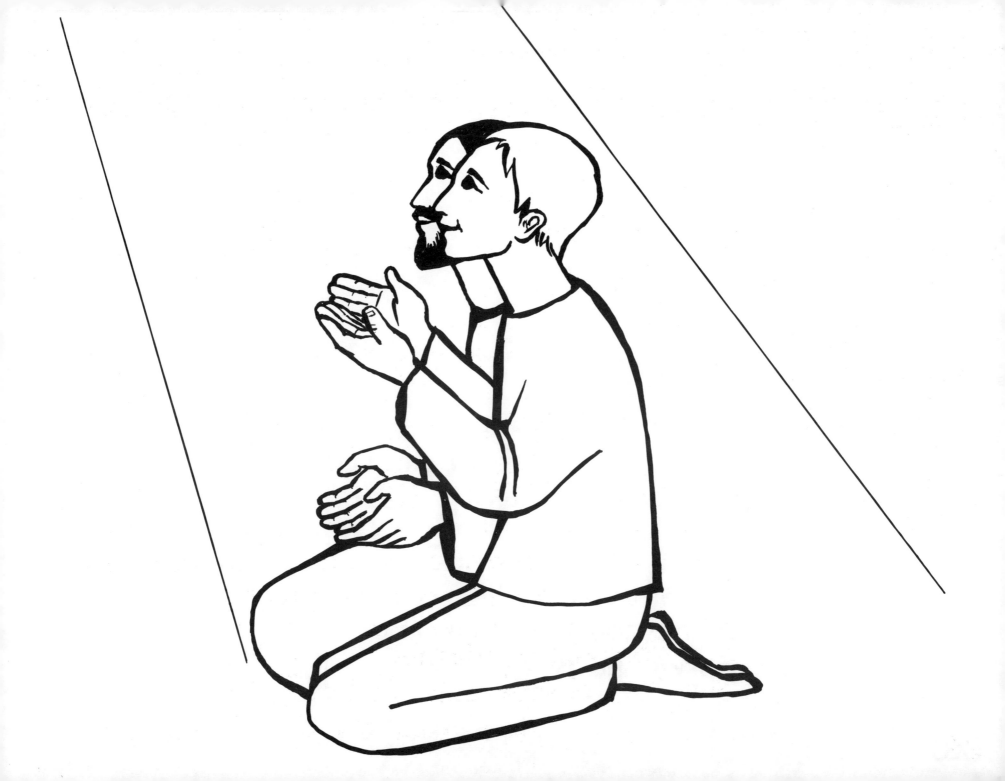

"Papa, j'ai faim
le monde a faim!
J'ai besoin de toi!
Nous avons besoin de toi!
Le monde a besoin de toi!

Viens!
Donne-nous aujourd'hui
notre pain de chaque jour!"

"Papa, pardonne-moi mes péchés
pardonne-nous nos péchés
Lave-nous de toutes nos fautes et souillures
Guéris-nous!"

30

"Papa, protège-nous
délivre-nous du mal
délivre-nous du Mauvais"

Alors Jésus me fait une promesse :

"Tout ce que tu demandes à mon Père
en mon Nom
il te le donne
Oui, Il te le donne.
Aie confiance."

c.f. Jean 15,16

34

Et JÉSUS regarde Marie, sa Mère, avec tendresse

il lui dit :

"Je te salue Marie, pleine de grâces "

Je le répète avec Lui :

"Je te salue Marie, pleine de grâces "

36

# Jésus m'apprend à vivre.

Jésus me regarde avec amour
et me dit : "Viens avec moi, suis-moi,
Nous vivrons ensemble "

Je vais avec lui et je vois comment Il vit :

il est l'ami des pauvres
il est si bon pour les petits, les blessés
les malheureux.

Jésus appelle tous les pauvres :

"Venez à Moi
vous tous qui peinez
et ployez sous le fardeau
et je vous soulagerai
apprenez de moi
car je suis doux et humble de coeur"

cf. Matthieu 11,28.

40

Jésus donne du pain à ceux qui ont faim

cf. Marc 6, 41

42

Jésus parle partout de son Père

il annonce toujours la Vérité

il est vraiment la lumière du monde

il n'aime pas le mensonge

Jésus console les cœurs brisés

il aime vivre proche d'eux

c.f. Luc 7, 12.

46

Jésus guérit les infirmes et les malades

c.f. Luc 5,17.

48

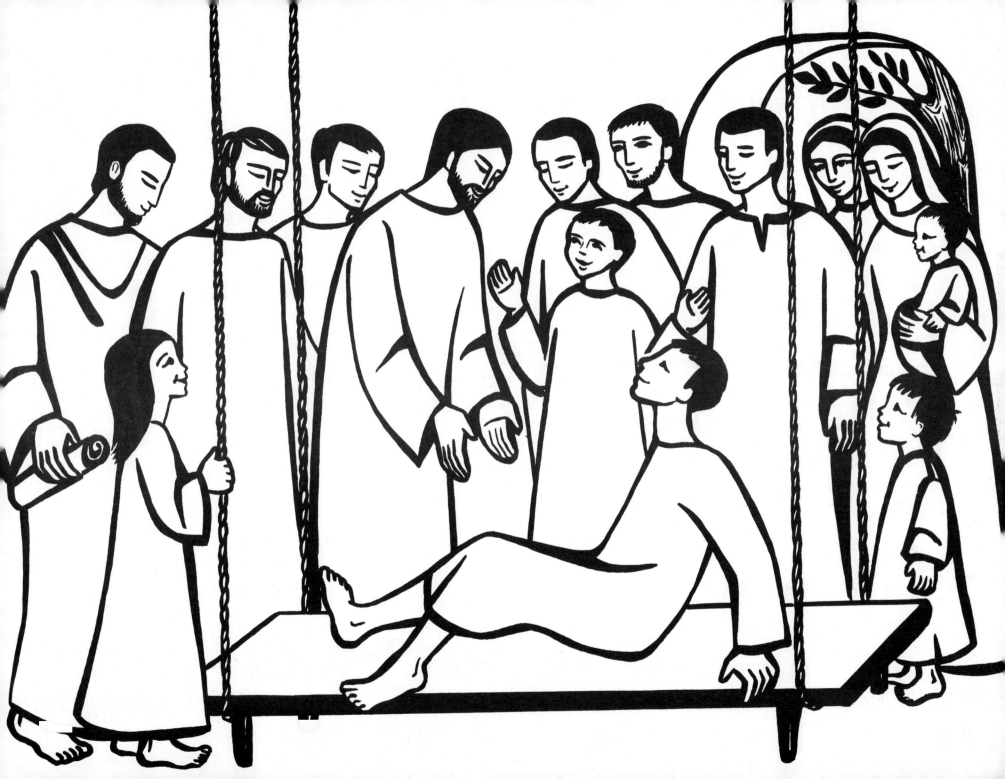

Jésus appelle des petits enfants près de lui

   il les embrasse
   il les bénit
   il les aime

il me dit :
"Si tu ne deviens pas comme un de ces petits
   -plein de simplicité, de confiance, de tendresse -
   tu ne peux pas   entrer dans le royaume des cieux "

c.f. Matthieu 18,2.

50

Jésus raconte une histoire
 pour montrer combien son Père est bon
 et veut pardonner toutes nos fautes :

"Il y avait un père qui avait deux enfants
 le plus jeune lui demande sa part d'héritage
 et il s'en va dans un pays lointain.
 Là il dépense son argent en vivant mal
 et en buvant beaucoup"

"Bientôt le jeune fils a tout dépensé.
Et voici que la famine envahit le pays,
il ne possède plus rien
il n'a même rien à manger
il est sans travail

      il devient gardien de cochons
      il a tellement faim qu'il voudrait bien
      manger un peu de leur nourriture

alors il songe à son père "

"Il décide de retourner vers son père
          le père l'attend
          car il aime toujours beaucoup son fils

Quand il le voit de loin son cœur bondit de joie
          il court vers lui
          il le prend dans ses bras
          il l'embrasse longuement

Son jeune fils pleure et lui dit :
          " papa, j'ai péché contre toi
          et contre le ciel. pardonne-moi ! "

                    ils s'embrassent longuement
                    tout heureux de se réconcilier."

" le père est si heureux de retrouver son jeune fils
        qu'il fait une grande fête.
        tout le monde se réjouit
        car le fils qui était perdu est retrouvé!
        celui qui était mort est vivant !


                seul le frère aîné est en colère
                car il est jaloux"

                        cf. Luc 15.

58

# Jésus, pourquoi es-tu venu dans notre monde ?

Jésus me dit que le Père l'a envoyé dans ce monde
　　　　　pour sauver tous les hommes
　　　　　en les réconciliant avec lui
　　　　　et en faisant d'eux ses enfants bien-aimés

60

le Père envoie Jésus
   parce qu'il aime tellement
   tous les hommes et toutes les femmes
   de la terre.

il l'envoie pour annoncer une bonne, bonne nouvelle :
         nous sommes tous aimés de Dieu
         tels que nous sommes
nous ne sommes plus tout seuls avec nos difficultés,
         nos angoisses, nos handicaps,
tout ne finit pas avec la mort
nous sommes faits pour vivre ensemble avec Jésus
         pour toujours
   et cette vie commence maintenant.

62

le Père envoie Jésus
     pour libérer tous les hommes
     et toutes les femmes
     des prisons de l'égoïsme
                    de la culpabilité
                    de la jalousie
                    de l'oppression
                    de la violence
                    de la mort
                    du mal

Oui, il vient pour nous sauver
          et nous libérer tous

Le Père envoie Jésus
pour être la Paix et la Réconciliation
dans un monde de conflit et de guerre
pour être la compassion
dans un monde de souffrance et de misère

66

Jésus vient pour pardonner à nous tous
        toutes nos fautes, nos péchés,
        nos méchancetés, nos lâchetés
        nos indifférences
il ne vient pas pour nous juger ni nous condamner

Jésus vient
pour changer nos cœurs égoïstes et durs
et nous apprendre à aimer et à partager
et à construire un monde plus juste,
plus beau et plus fraternel.

c'est l'Eglise!

70

Jésus vient
   pour attirer dans la fête du Père
   tous les hommes et toutes les femmes
   de toutes les nations et de toutes les races

   pour que tous soient UN en lui,
      le Roi d'Amour et de Lumière.

Et Jésus me regarde
   il me dit : "fais comme moi,
            sois bon et courageux
            sois mon visage
            comme moi je suis le visage du Père
      Comme le Père m'a envoyé
      moi aussi je t'envoie :
            va, annonce la bonne nouvelle de la Paix
            dis à tous que Dieu est Amour
            libère les cœurs endurcis
            pardonne comme moi je pardonne
            aime comme moi j'aime
            lutte contre le mal comme moi
            Je lutte contre le mal."

L'Evêque au nom de JÉSUS nous confirme
il est le père du diocèse
il nous envoie pour annoncer la bonne nouvelle
et servir JÉSUS et nos frères et sœurs
surtout les plus pauvres
Par le sacrement de la confirmation
nous recevons une nouvelle force de l'Esprit Saint
pour être témoins de JÉSUS

L'Evêque est aussi celui qui fait les nouveaux prêtres

# Jésus me donne sa charte : les béatitudes

"Vis pauvrement et simplement
ne cherche pas à devenir riche
mets ta sécurité en moi
je suis ta richesse et ta paix

tu es heureux alors
et béni de mon Père"

78

"Sois doux et humble de cœur
même avec ceux qui t'énervent
et sont méchants avec toi

tu seras heureux alors
et béni de mon Père."

"Sois doux et humble de cœur
même avec ceux qui t'énervent
et sont méchants avec toi

tu seras heureux alors
et béni de mon Père."

"Ne t'inquiète pas quand tu souffres
quand tu pleures
je te consolerai
j'essuierai chacune de tes larmes.


tu seras heureux alors
et béni de mon Père."

"aie faim et soif pour le règne du Père,
que sa volonté soit faite sur la terre comme au ciel
prie et lutte, là où tu es
pour un monde plus fraternel
où les pauvres sont tenus en honneur

sois courageux
pense aux autres qui souffrent et qui sont loin
à tous ceux qui luttent contre le mal
prie pour eux
vis pour eux

tu seras heureux alors
et béni de mon Père."

"Sois bon pour ceux qui sont seuls et rejetés
        pour ceux qui sont tristes et dans la misère
                les plus pauvres et les plus démunis
        partage ta vie avec eux

  Je suis caché dans leur cœur
  tout ce que tu leur fais à eux
            tu le fais à moi
  c'est ainsi qu'ils t'aideront
  et changeront ton cœur de pierre en cœur d'amour

                tu seras heureux alors
                et béni de mon Père "

" Que ton cœur soit pur et limpide
transparent comme l'eau de source

tu seras heureux alors
et béni de mon Père "

"Cherche à faire la paix partout et toujours

tu seras heureux alors et béni de mon Père."

"Si tu es bon
si tu m'aimes et cherches à faire ce que je dis

on se moquera de toi
on te mettra à l'écart
on te persécutera

ne t'inquiète pas
n'aie pas peur
Je suis avec toi

tu es heureux alors et béni de mon Père "

cf. Matthieu 5

92

Je dis à Jésus :

   "mais c'est difficile d'aimer, de donner
                         de pardonner toujours,
                         de vivre comme tu le dis
   j'essaie mais je n'arrive pas
   je tombe souvent
   si vite je perds confiance et je deviens lâche"

94

Jésus me sourit

" pour toi tout seul , c'est impossible
mais rien n'est impossible à Dieu
je t'aide et je te pardonne

je te pardonne par mon prêtre
dans le sacrement de la réconciliation
Ainsi tu restes toujours mon ami "

"mais  surtout , mange mon Corps
bois mon  Sang

Je vis alors en toi
et toi en moi

Je te donne mon cœur
pour aimer dans ton cœur
je te donne ainsi une force nouvelle
pour lutter contre le mal
en toi et dans  le monde"

"Sans moi, tu ne peux rien faire.
        avec moi tu porteras beaucoup de fruits.

        mais, sois patient
        demeure en mon amour "

                    c.f. Jean 15.

100

" Si tu veux me suivre
tu auras à souffrir,

mais ne crains pas je suis avec toi "

102

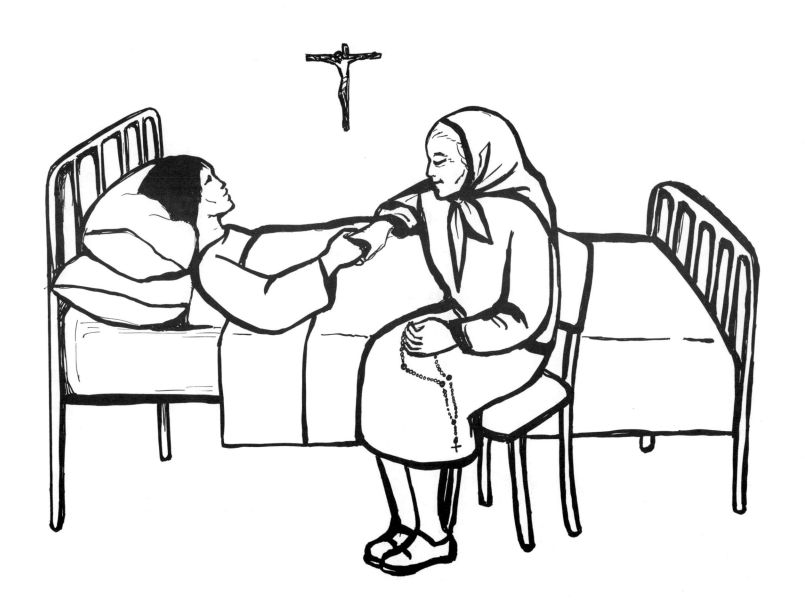

"A ta mort je t'introduirai pour toujours
dans le Royaume de mon Père
avec Marie, ma Mère
et avec tous les enfants de mon Père

Nous vivrons ensemble
nous fêterons ensemble
nous chanterons ensemble
les louanges de mon Père
nos cœurs remplis de joie"

104

" Mais il faut veiller et prier sur la terre
car Satan, le Mauvais, tente de te décourager
et de te détourner de moi

mais je suis là pour te protéger;
demeure avec moi "

"Cache-toi dans le Cœur de mon Père
    car il t'aime
    et veille sur toi
    tu peux avoir confiance en Lui,
    car il est la toute puissance d'amour
        et de tendresse



il sait tout...
même aucun de tes cheveux ne tombe
    sans qu'il ne le sache"

108

Jésus me dit que

"le royaume du Père
est comme un trésor caché dans un champ.
ça vaut la peine de donner tout
pour l'obtenir "

c.f. Matthieu 13-44-

110

" Le Royaume du Père
　　est comme la plus petite de toutes les semences :
　　elle grandit peu à peu dans nos cœurs
　　　　et devient un arbre
　　où tous les oiseaux du ciel trouvent leur nid "

c.f. Matthieu 13-31

"Le royaume du Père est comme un repas de noces

où tous les pauvres
sont invités à la fête!"

cf. Luc 14.5.

# Jésus m'explique les débuts et l'histoire du monde.

### Genèse 1.

"Mon Père et moi nous avons créé toutes choses :
la lumière et le soleil
les plantes, les feuilles et les fleurs
les poissons, les oiseaux et les animaux"

"Et le plus beau de tout
nous avons créé l'homme et la femme

L'univers entier est pour eux
c'est leur demeure et leur jardin"

118

"Le premier homme et la première femme :
Adam et Eve sont tentés par le diable
ils désobéissent à Dieu
ils lui disent : "non".
ils se détournent de son Amour
ils cherchent alors uniquement à jouir de la vie.
ils ne pensent qu'à eux-mêmes
ils ne veulent plus servir "

Genèse 3.

120

" Parce que Adam et Eve
se sont détournés de Dieu, leur Père,
et ne pensent qu'à eux-mêmes
ils commencent à se battre entre eux
et leurs enfants font pareil

Ainsi tous les hommes et toutes les femmes de la terre
commencent à se battre entre eux
chacun cherche ses propres intérêts

il n'y a plus d'amour ni de partage sur la terre
mais partout la guerre, la misère et la haine "

"Mais le Père reste fidèle à son amour,
        il a un projet encore plus beau
        pour les hommes et les femmes de la terre
        car il les aime et veut qu'ils soient heureux.

il va envoyer un Sauveur
son Fils bien-aimé
pour les libérer
et leur donner la vie

        il prépare alors sa venue."

Dieu choisit Noé
        il lui dit de construire une Arche
        pour lui et pour sa famille,
        pour les animaux, mâles et femelles

Dieu envoie la pluie, la pluie, la pluie...
        un véritable déluge !
        partout la terre est inondée !

Seul Noé et sa famille
        et tous les animaux mâles et femelles
        qui sont dans l'Arche sont sauvés

Et Dieu fait une alliance avec Noé et ses enfants
        et avec les enfants de ses enfants,
        avec tous les hommes et femmes de la terre
        il n'enverra plus le déluge
        pour détruire toute la terre vivante.

Genèse 6.

126

Mais encore une fois les hommes et les femmes de la terre
se détournent de Dieu
partout il y a la guerre, la misère et la haine.

Alors Dieu choisit Abraham
un homme juste et bon;
avec lui sa femme et ses enfants
et les enfants de ses enfants
il fait un peuple, c'est le peuple juif.
Dieu fait une Alliance avec eux.

Genèse 15.

128

Ce peuple juif souffre
il devient un peuple esclave, opprimé, humilié.
il crie alors vers Dieu
lui rappelant son Alliance.

Et Dieu entend le cri de souffrance
de ce peuple opprimé
il choisit Moïse
il l'envoie pour libérer ce peuple, son peuple.

Exode 32.

130

Enfin après bien des années,
   le Père choisit une jeune fille juive

   Marie

   pour être la maman de son fils bien·aimé


   il la prépare, même avant sa naissance
   pour cette tâche
   en la rendant très aimante,
                    pleine de grâces
                    très pure.

   elle est l' Immaculée.

Marie est fiancée à Joseph
un homme très bon
qui obéit toujours à Dieu.

134

Le Père envoie à Marie un messager
L'Ange Gabriel.
il lui dit de la part de Dieu :

"Je te salue, pleine de grâces,
le Seigneur est avec toi".

il lui demande de devenir
la Mère du fils de Dieu
Elle dit : "Oui"
"Je suis la servante du Seigneur,
fais de moi ce que tu veux"

Le Père envoie son Esprit Saint en Marie
Elle conçoit un petit enfant : c'est Jésus.
La Sainte Vierge devient Mère de Dieu.

c.f. Luc 1, 23-38

Dès que Marie porte Jésus en elle
elle s'en va voir Elisabeth, sa vieille cousine.

Elisabeth, elle aussi, attend un enfant
Marie vient l'aider et la servir.

cf. Luc 1, 39.56

Marie donne naissance à Jésus
   dans une grotte très pauvre, à Bethléem.

Joseph est là
c'est Noël.

   des bergers viennent adorer
   ce fils de Dieu devenu petit enfant.

c.f. Luc 2 , 1-20

Des rois viennent de loin
pour l'adorer aussi
et lui apporter des cadeaux.

Jésus est le Roi d'Israël
et le Roi de l'univers

c.f. Matthieu 2.

Jésus vit en famille à Nazareth
avec Marie et Joseph.

il travaille et mène la vie de tous les hommes
il demeure là en famille pendant trente années.

144

Après ces trente années
  il quitte son travail, sa maison et son village
  pour annoncer à tout le peuple
  son message de paix et d'amour :

## la Bonne Nouvelle.

il fait des miracles.

c.f. Jean 2, 1-12

146

Jésus appelle des disciples et douze apôtres
il leur demande de tout quitter pour le suivre
il les choisit pour continuer son œuvre
pour prêcher comme lui
pour être bons comme lui
pour guérir comme lui

parmi les douze apôtres, il y a Pierre
Jésus le choisit pour être
le roc sur lequel son Eglise est bâtie.
le premier des apôtres
le premier pape


et il y a Jean
qu'il aime avec un amour spécial.

c. f. Matthieu 4, 18-22

148

le Pape aujourd'hui est comme Pierre
il est l'ami de Jésus
le premier des évêques
le berger des bergers

il confirme les autres évêques
il rappelle à toute l'Eglise les paroles de Jésus.

150

Parmi les disciples de Jésus
il y a Marie, sa mère.


elle est la plus attentive et la plus silencieuse
elle accueille sa parole avec amour et joie
elle garde tout caché dans son cœur
elle aime et adore.

Il y a aussi Marie et Marthe
les sœurs de Lazare

Jésus les aime beaucoup
il vient souvent à Béthanie
se reposer dans leur maison.

c.f. Luc 10·38

154

Il y a aussi une femme de mauvaise vie
Jésus la regarde avec tendresse et lui dit :

"Moi non plus je ne te condamne pas
va et ne pèche plus ! "

elle ne pèchera plus
car elle a rencontré Jésus
et sait qu'elle est aimée infiniment

c.f. Jean 8.

156

Mais certains ne veulent pas de Jésus
son message leur fait peur
ils sont attachés à leur argent et à leur pouvoir
ils refusent de l'écouter et d'accueillir sa parole
ils ferment leur cœur
ils sont jaloux et lui tendent des pièges

158

Le jeudi avant la Pâque

Jésus réunit ses apôtres
pour manger le repas avec eux

il sait que c'est son dernier repas

Avant de manger il leur lave les pieds
il devient ainsi leur serviteur
il leur dit :

" Faites de même entre vous "

"tu seras heureux alors et béni de mon Père"

160

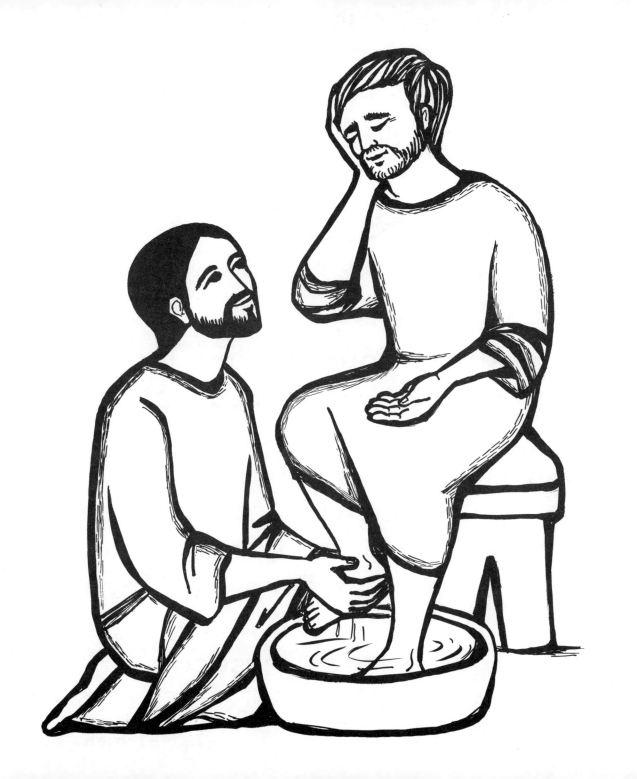

Au cours du repas Jésus donne aux apôtres
son Corps à manger sous forme de pain
son Sang à boire sous forme de vin
signe de sa mort et du don qu'il nous fait de sa vie
c'est la première messe, l'Eucharistie.

Il leur dit : "Faites ceci en mémoire de moi"
il fait d'eux des prêtres

Puis Jésus leur parle :
"Aimez-vous les uns les autres
comme moi je vous aime.
c'est un commandement nouveau
je vais bientôt vous quitter
mais que vos cœurs ne se troublent pas !
je prierai le Père
il vous enverra le Paraclet
L'Esprit Saint
vous serez persécutés
mais je serai toujours avec vous."

cf. Matthieu 26. Jean 14.15.16.

162

Ensuite JÉSUS va au jardin des oliviers
il est si angoissé et en détresse

"mon âme est triste à en mourir"

leur dit-il.

IL prie: "Père, non pas ma volonté mais la tienne"
cf. Luc 22-40

164

Les ennemis de Jésus veulent le tuer
ils se servent de Judas
un des douze apôtres
celui-ci vient avec les soldats
pour prendre Jésus et l'emprisonner

Judas le désigne avec un mauvais baiser.

166

Pierre, le premier des apôtres prend peur
il prétend ne pas connaître Jésus
en disant :
"Je ne connais pas cet homme !"

et le coq chante...
de loin Jésus le regarde avec tendresse

Pierre pleure amèrement
Jésus lui pardonne.

c.f. Luc 22.61

168

Jésus est mis en prison
il est jugé
et condamné à mourir sur une croix
il est frappé
il est couronné d'épines
il souffre beaucoup
c.f. Jean 19.

170

Jésus porte sa croix sur ses épaules
    jusqu'au Mont Calvaire

Simon de Cyrène le soutient

Jésus tombe plusieurs fois
    il souffre terriblement

c.f. Luc 23,26

172

Les soldats clouent Jésus sur la croix
il est comme un agneau blessé et innocent
victime pour nous sauver et nous guérir

Du haut de la croix
Jésus donne Marie à Jean
pour être sa maman
"Voici ta mère."

A partir de ce moment Jean prend Marie chez lui
il l'aime comme Jésus l'aime.

cf. Jean 19.

174

Jésus crie : "J'ai soif !"
puis il rend l'esprit

il meurt

un soldat perce son Cœur
avec une lance
il en coule du Sang et de l'Eau.

cf Jean 19.

176

On descend son Corps de la Croix
On le remet à Marie, sa mère
elle le reçoit avec amour

Puis on met son Corps dans un tombeau
fermé par une grosse pierre.

180

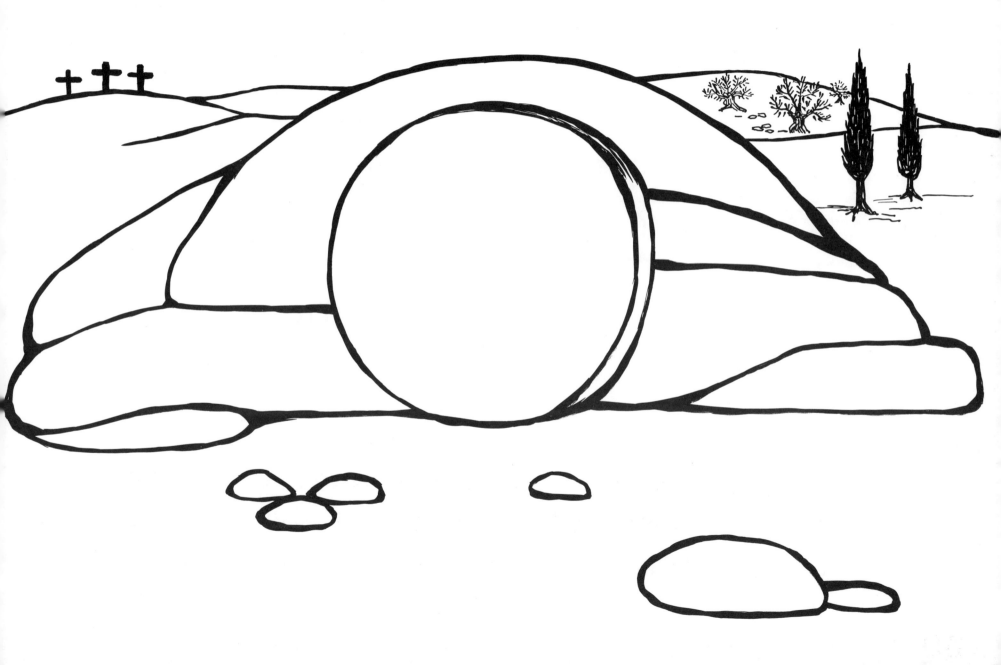

dans la nuit de Pâques

Jésus ressuscite
il est Vivant !

il est vivant maintenant et pour toujours !

Alleluia !

Marie de Magdala tôt le matin va au tombeau
elle pleure
Jésus se montre à elle habillé en jardinier
mais elle ne le reconnaît pas
c'est seulement quand il l'appelle par son nom:
"Marie!" qu'elle le reconnaît

elle crie : "Rabbouni", "Maître"!
et se jette à ses pieds.
cf. Jean 20, 11-18.

Le jour de L'Ascension

Jésus dit aux apôtres et aux disciples
d'attendre en priant:
il va leur envoyer son Esprit

Puis il les quitte et va vers le Père.

c.f. Actes 1.

le dimanche de Pentecôte,
_dix jours après le départ de Jésus_
Marie et les apôtres sont en prière
ils attendent la promesse de Jésus

soudain, ils entendent un bruit
comme un violent coup de vent
et ils voient apparaître
des langues comme de feu

elles se partagent et se posent
sur chacun d'eux

Ils sont tous remplis de l'Esprit Saint
une force nouvelle jaillit en eux !
ils commencent à proclamer dans diverses langues :
" Jésus est le fils de Dieu, le Sauveur du monde"

L'Eglise de Jésus est née et se manifeste

190

les apôtres remplis de ce feu nouveau
partent à travers le monde
ils annoncent partout Jésus
et sa bonne nouvelle
ils baptisent tous ceux qui croient en Jésus

"Au nom du Père, et du fils et du Saint Esprit "

La famille de Dieu, l'Eglise, grandit en nombre

192

Marie vit avec Jean

Jean est son prêtre
jusqu'à sa mort

Alors, comme Jésus, elle ressuscite,
elle monte au ciel avec un corps de gloire

c'est l'Assomption !

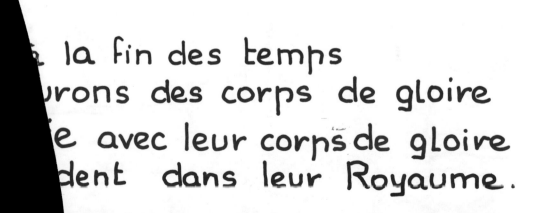

la fin des temps
rons des corps de gloire
e avec leur corps de gloire
dent dans leur Royaume.

Les apôtres sont morts, martyrs, pour Jésus
les évêques les remplacent
   ils continuent à proclamer Jésus
   et sa bonne nouvelle
           à travers le monde
           à travers le temps

   comme les apôtres ils fondent
           et confirment des communautés chrétiennes.

Ces communautés   sont composées
           de familles, de mamans, de papas
           avec leurs enfants
           et de ceux et celles qui ne sont pas mariés

       certains   sont consacrés   à Jésus

les faibles, les malades, les pauvres, les vieillards
_ tous ceux qui souffrent et se sentent démunis_
sont au cœur de la communauté chrétienne

ils sont au cœur de l'Église de Jésus

Jésus les aime spécialement
il choisit les faibles et les petits
pour confondre les forts

Leur prière touche le cœur du Père.

Dans l'histoire de son Eglise

Jésus appelle des hommes et des femmes
comme toi et moi à être des saints
à vivre de l'Esprit Saint
ils sont des amis de Jésus
des amis des pauvres
et nos modèles
ils parlent de Jésus
ils parlent à Jésus
ils parlent aux pauvres
ils sont nos amis
au ciel ils nous attendent.

Jésus est toujours vivant
au coeur de son Eglise
il demeure avec nous et en nous.

avec lui nous nous aimons les uns les autres:
nous faisons communauté,
nous apprenons à pardonner, à célébrer
à accueillir le pauvre,
à travailler pour un monde plus fraternel,
et à donner nos vies pour nos frères et soeurs
nous sommes le visage
les mains et le coeur de Jésus

202

Au cœur de nos communautés
nous allons beaucoup prier
et offrir nos difficultés et nos souffrances

au Père, en union avec Jésus,
pour que tous les hommes et les femmes
de la terre soient sauvés.

Et tous ensemble,
avec toute l'Eglise
avec tous ceux qui souffrent et qui pleurent

avec Marie, mère de l'Eglise
mère de tous les hommes et les femmes de la terre

nous attendons le retour de Jésus dans la gloire

et nous disons : "Viens, seigneur Jésus, Viens !"

cf Apocalypse 22.

206